劉福春・李怡 主編

民國文學珍稀文獻集成

第三輯

新詩舊集影印叢編　第108冊

【馮至卷】

十四行集

1・桂林：明日社 1942 年 5 月初版
2・上海：文化生活出版社 1949 年 1 月再版

馮至　著

花木蘭文化事業有限公司

國家圖書館出版品預行編目資料

十四行集／馮至　著 — 初版 — 新北市：花木蘭文化事業有限公司，

2021〔民 110〕

76 面／90 面；19×26 公分

（民國文學珍稀文獻集成·第三輯·新詩舊集影印叢編　第 108 冊）

ISBN 978-986-518-473-5（套書精裝）

831.8　　10010193

ISBN-978-986-518-473-5

9789865184735

民國文學珍稀文獻集成·第三輯·新詩舊集影印叢編（86-120 冊）
第 108 冊

十四行集

著　者　馮　至
主　編　劉福春、李怡
企　劃　四川大學中國詩歌研究院
　　　　四川大學大文學學派
總編輯　杜潔祥
副總編輯　楊嘉樂
編　輯　許郁翎、張雅淋、潘玟靜　美術編輯　陳逸婷
出　版　花木蘭文化事業有限公司
社　長　高小娟
聯絡地址　235 新北市中和區中安街七二號十三樓
　　　　電話：02-2923-1455／傳真：02-2923-1452
網　址　http://www.huamulan.tw 信箱 service@huamulans.com
印　刷　普羅文化出版廣告事業
初　版　2021 年 8 月
定　價　第三輯 86-120 冊（精裝）新台幣 88,000 元　

十四行集

馮至 著

明日社（桂林）一九四二年五月初版。原書三十二開。

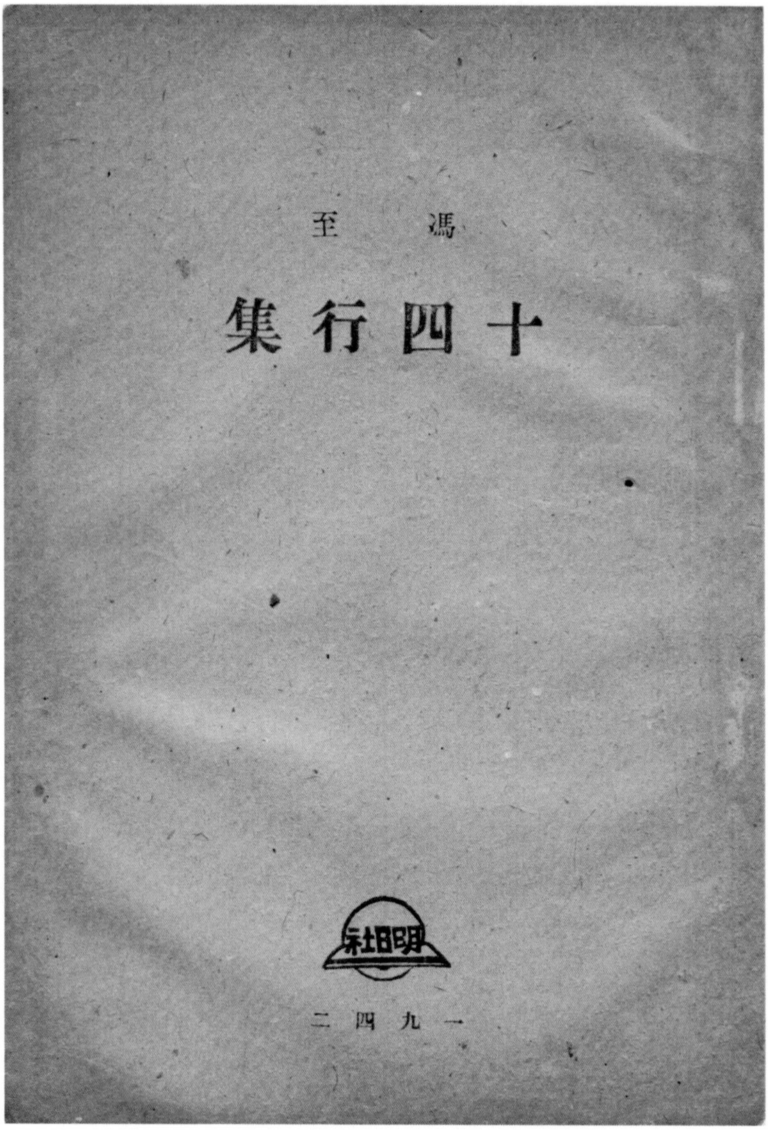

馮至

十四行集

明日社

一九四二

十四行集

馮至

十四行集

一九四二

本書初版用上等重紙印三十冊，號碼由一至三十，爲非賣品；用瀏陽紙印二百冊，號碼由一至二百。

民國三十一年五月明日社發行
1－3100冊
桂林紹榮印刷廠承印

目錄

十四行

二十七首

寫於一九四一年

一

我們準備着深深地領受
那些意想不到的奇蹟，
在漫長的歲月裏忽然有
彗星的出現，狂風乍起：

我們的生命在這一瞬間，
髣髴在第一次的擁抱裏

過去的悲歡忽然在眼前
凝結成屹然不動的形體。

我們讚頌那些小昆蟲，
牠們經過了一次交媾
或是抵禦了一次危險，

便結束牠們美妙的一生。
我們整個的生命在承受
狂風乍起，彗星的出現。

10

二

什麽能從我們身上脫落，
我們都讓牠化作塵埃：
我們安排我們在這時代，
像秋日的樹木一棵棵

把樹葉和些過遲的花朵
都交給秋風，好舒開樹身

伸入嚴冬；我們安排我們
在自然裏，像蛻化的蟬蛾

把殘殼都丟在泥裏土裏；
我們把我們安排給那個
未來的死亡，像一段歌曲，

歌聲從音樂的身上脫落，
歸終剩下了音樂的身軀
化作一脈的青山默默。

12

三

你秋風裏蕭蕭的玉樹
是一片音樂在我耳旁
築了一座嚴肅的廟堂，
讓我小心翼翼地走入
又是插入晴空的高塔
在我的面前高高聳起，

有如一個聖者的身體，
昇華了全城市的喧嘩。

你無時不脫你的軀殼，
凋零裏只看着你生長；
在阡陌縱橫的田野上

我把你看成我的引導：
祝你永生，我願一步步
化身爲你根下的泥土。

四

我常常想到人的一生，
便不由得要向你祈禱。
你一叢白茸茸的小草
不會孤負了一個名稱；
但你躲避着一切名稱，
過一個渺小的生活，

不孤負高貴和潔白，
默默地成就你的死生。

一切的形容，一切喧囂
到你身邊，有的就凋落，
有的化成了你的靜默：

這是你偉大的驕傲
却在你的否認裏完成。
我向你祈禱，爲了人生。

16

五

我永久不會忘記
西方的那座水城，
牠是個人世的象徵，
千百個寂寞的集體。

一個寂寞是一座島，
一座座都結成朋友：

當你向我拉一拉手，
便像一座水上的橋；
當你向我笑一笑，
便像是對面島上
忽然開了一扇樓窗。
等到了夜深靜悄，
只看見窗兒關閉，
橋上也斂了人跡。

六

我時常看見在原野裏
一個村童，或一個農婦
向着無語的晴空啼哭，
是爲了一個懲罰，可是
爲了一個玩具的毀棄？
是爲了丈夫的死亡，

可是爲了兒子的病創？
啼哭得那樣沒有停息，

像整個的生命都嵌在
一個框子裏，在框子外
沒有人生，也沒有世界。

我覺得他們好像從古來
就一任眼淚不住地流
爲了一個絕望的宇宙。

20

七

和暖的陽光內
我們來到郊外，
像不同的河水
融成一片大海。

有同樣的警醒
在我們的心頭，

是同樣的運命
在我們的肩頭。

共同有一個神
他爲我們担心：
等到黃昏到了，

那分歧的街道
又把我們吸回，
海水分成河水。

22

八

是一個舊日的夢想，
眼前的人世太紛雜，
想依附着鵷鳥飛翔
去和寧靜的星辰談話。

千年的夢像個老人
期待着最好的兒孫——

如今有人飛向星辰，
却忘不了人世的紛紜。

他們常常為了學習
怎樣運行，怎樣隕落，
好把星秩序排在人間，

便光一般投身空際。
如今那舊夢却化作
遠水荒山的隕石一片。

24

九

你長年在生死的中間生長，
一旦你回到這墮落的城中，
聽着道市上的愚蠢的歌唱，
你會像是一個古代的英雄

在千百年後他忽然回來，
從些變質的墮落的子孫

尋不出一些盛年的姿態，
他會出乎意外，感到眩昏。

你在戰場上，像不朽的英雄
在另一個世界永向蒼穹，
歸終成爲一隻斷線的紙鳶：

但是這個命運你不要埋怨，
你超越了他們，他們已不能
維繫住你的向上，你的曠遠。

26

一〇

你的姓名常常排列在
許多名姓的中間，並沒有
什麼兩樣，但是你却永久
保持了一種異樣的光彩；
只在過渡的黎明和黃昏
認識你是長庚，你是啓明，

到夜半你和一般的星星
也沒有區分：多少青年人

賴你寧靜的啓示才得到
正當的死生。如今你死了，
我們深深感到你已不能

參加我們將來的工作，
如果這個世界能夠復活，
歪扭的事能夠重新調整。

28

一一

在許多年前的一個深夜
你爲幾個青年感到一覺，
你不知經驗過多少幻滅，
但那一覺却永不曾凋謝。

我永久抱着感謝的深情
望着你，爲了我們的時代：

牠被些愚蠢的人們毀壞，
但是牠的維護人却一生

被擯擠在這個世界以外，
有幾次望出來一綫光明，
轉過頭來又有烏雲遮蓋。

你走完你的艱險的行程，
艱苦中只有路旁的小草
曾經引出你希望的微笑。

30

一二

你在荒村裏忍受饑腸，
你時時想到死填溝壑，
你却不斷地唱着哀歌
爲了人間壯美的淪亡：

戰場上有健兒的死傷，
天邊有明星的隕落，

萬匹馬隨着浮雲消沒……
你一生是他們的祭享。

你的貧窮在閃鑠發光
像一件聖者的爛衣裳，
就是一絲一縷在人間

也有無窮的神的力量。
一切冠蓋在牠的光前
只照出來可憐的形像。

32

一三

你生長在平凡的市民的家庭，
你爲過許多良家的女孩流淚，
在一代雄主的面前你也敬畏；
你八十年的歲月是那樣平靜

好像宇宙在那兒寂寞地運行，
但是不曾有一分一秒的停息，

隨時隨處都演化出新的生機，
不管風風雨雨，或是日朗天晴。

從沉重的病裏換來新的健康，
從絕望的愛裏換來新的發展，
你懂得飛蛾為什麼投向火焰，

蛇為什麼脫去舊皮才能生長；
萬物都在享用你的那句名言，
牠道破一切生的意義：「死和變。」

34

一四

你的熱情到處燃起火，
你把一束向日的黃花
燃着了，濃鬱的扁柏
燃着了，還有在烈日下
行走的人們，他們也是
向高處呼籲的火焰；

但是初春一棵枯寂的
小樹，一座監獄的小院，

和陰暗的房裡低着頭
剝馬鈴薯的人：他們都
像是永不消溶的冰塊。

這中間你却畫了吊橋
畫了輕倩的船：你可要
把些不幸者迎接過來？

一五

看這一隊隊的馱馬
馱來了遠方的貨物，
水也會沖來一些泥沙
從些不知名的遠處，

風從千萬里外也會
掠來些他鄉的嘆息：

我們走過無數山水，
隨時佔有，隨時又放棄，

髣髴鳥飛翔在空中，
牠隨時都管領太空，
隨時都感到一無所有。

什麼是我們的實在？
從遠方什麼也帶不來，
從面前什麼也帶不走。

38

一六

我們並立在高高的山巔
化身爲一望無邊的遠景，
化成面前的廣漠的平原，
化成平原上交錯的蹊徑。

哪條路，哪道水，沒有關連，
哪陣風，哪片雲，沒有呼應；

我們走過的城市，山川
都化成了我們的生命。

我們的生長，我們的憂愁
是某某山坡的一棵松樹，
是某某城上的一片濃霧；

我們隨着風吹，隨着水流，
化成平原上交錯的蹊徑，
化成蹊徑上行人的生命。

40

一七

你說，你最愛看這原野裏
一條條充滿生命的小路，
是多少無名行人的步履
踏出活活潑潑的道路。

在我們心靈的原野裏
也有一條條宛轉的小路，

但曾經在路上走過的
行人多半都已不知去處：
寂寞的兒童，白髮的夫婦，
還有些年紀青青的男女，
還有死去的朋友，牠們都
給我們踏出來這些道路，
我們紀念着他們的步履
不要荒蕪了這幾條小路。

一八

我們常常度過一個親密的夜
在一間生疏的房裏，牠白晝時
是什麼模樣，我們都無從認識，
更不必說牠的過去未來。原野
一望無邊地在我們窗外展開，
我們只依稀地記得在黃昏時

來的道路，便算是對牠的認識，
明天走後，我們也不再回來。

閉上眼吧！讓那些親密的夜
和生疏的地方織在我們心裏：
我們的生命像那窗外的原野，

我們在朦朧的原野上認出來
一棵樹，一閃湖光；牠一望無際
藏着忘却的過去，隱約的將來。

44

一九

我們招一招手，隨着別離
我們的世界便分成兩個，
身邊感到冷，眼前忽然遼闊
像剛剛產生的兩個嬰兒。

啊，一次別離，一次降生，
我們担負着工作的辛苦，

把冷的變成暖，生的變成熟
各自把個人的世界耘耕，
爲了再見，好像初次相逢，
懷着感謝的情懷想過去
像初晤面時忽然感到前生。

一生裏有幾回春幾回冬，
我們只感受時序的輪替，
感受不到人間規定的年齡。

46

二〇

有多少面容，有多少語聲
在我們夢裏是這般眞切，
不管是親密的還是陌生：
是我自己的生命的分裂，

可是融合了許多的生命，
在融合後開了花，結了果？

誰能把自己的生命把定
對着這茫茫如水的夜色。

誰能讓他的語聲和面容
只在些親密的夢裏縈迴？
我們不知已經有多少回

被映在一個遼遠的天空，
給船夫或沙漠裏的行人
添了些新鮮的夢的養分。

二一

我們聽着狂風裏的暴雨
我們在燈光下這樣孤單，
我們在這小小的茅屋裏
就是和我們用具的中間
也生了千里萬里的距離：
銅爐在向往深山的鑛苗

瓷壺在向往江邊的陶泥，
牠們都像風雨中的飛鳥
各自東西。我們緊緊抱住，
好像自身也都不能自主。
狂風把一切都吹入高空，
暴雨把一切又淋入泥土，
只剩下這點微弱的燈紅
在證實我們生命的暫住。

50

二二

深夜又是深山，
聽着夜雨沉沉。
十里外的山村
念里外的市廛
牠們可還存在
十年前的山川

念年前的夢幻
都在雨裏沉埋。

四圍這樣狹窄
好像回到母胎
神，我深夜祈求

像個古代的人：
「給我狹窄的心
一個大的宇宙！

52

二三

接連落了半月的雨，
你們自從降生以來
就只知道潮溼陰鬱，
一天雨雲忽然散開
太陽光照滿了牆壁，
我看見你們的母親

把你們銜到陽光裏，
讓你們用你們全身

第一次領受光和暖，
等到太陽落後，牠又
銜你們囘去。你們沒有

記憶，但這一幕經驗
會融入將來的吠聲，
你們在深夜吠出光明。

二四

這裏幾千年前
處處好像已經
有我們的生命
我們未降生前
一個歌者已經
從變幻的天空

從綠草和青松
唱我們的運命。

我們憂患重重，
這裏怎麽竟會
聽到這樣歌聲？

看那小的飛蟲，
在牠的飛翔內
時時都是永生。

二五

案頭擺設着用具
架上陳列着書籍，
終日在些靜物裏
我們不住地思慮，
言語裏沒有歌聲
舉動裏沒有舞蹈，

空空問窗外飛鳥
爲什麼振翼凌空。

只有睡着的身體
夜靜時起了韻律，
空氣在身內遊戲

海鹽在血裏遊戲—
夢裏可能聽得到
天和海向我們呼叫？

58

二六

我們天天走着一條熟路
回到我們居住的地方
但是在這林裏面還隱藏
許多小路，又深邃，又生疏。

走一條生的，便有些心慌，
怕越走越遠，走入迷途，

但不知不覺從樹疏處
忽然望見我們住的地方

像座新的島嶼呈在天邊。
我們的身邊有多少事物
在向我們要求新的發現：

不要覺得一切都已熟悉，
到死時撫摸自己的髮膚
生了疑問：這是誰的身體？

二七

從一片氾濫無形的水裏
取水人取來橢圓的一瓶，
這點水就得到一個定形；
看，在秋風裏飄揚的風旗

牠把住些把不住的事體，
讓遠方的光，遠方的黑夜

和些遠方的草木的榮謝，
還有個奔向無窮的心意，
都保留一些在這面旗上。

我們空空聽過一夜風聲，
空看了一天的草黃葉紅，

向何處安排我們的思，想
但願這些詩像一面國旗
把住一些把不住的事體。

62

附錄

雜詩六首

等待

在我們未生之前，
天上的星，海裏的水
都抱着千年萬里的心
在那兒等待你。

如今一個豐饒的世界
在我的面前，

天上的星，海裏的水
把牠們等待你的心
整整地給了我。
——一九三〇

歌

看許多男人的睡像
都好像將爆未爆的火山，
爲什麽都這般堅忍
不把他的火焰吐向人間？
哪座山不能爆裂，
若不是山影兒浸入湖面？

若沒有水一般女人的睡眠
他早已舍不住了他的火焰。

——一九三一

給秋心（四首）

一

我如今知道，死和老年人
並沒有什麼密切的關連，
在冬天我們不必區分
晝夜，晝夜都是一般疏淡；
反而是那些黑髮朱唇
時時潛伏着死的預感，

你像是一個燦爛的春
沉在夜裏，寧靜而陰暗。

二

我們當初從遠方聚集
到一座城裏，好像只有
一個祖母，同一祖父的
血液在我們身內週流。
如今無論在任何一地
我們的聚集都不會再有，
我只覺得在的血裏
還流着我們共同的血球。

三

我曾經草草認識許多人，
我時時想一一地尋找：
有的是偶然在一座樹林
同路走過僻靜的小道，
有的同車談過一次心，
有的同席問過名號……
你可是也參入了他們
生疏的隊中，讓我尋找？

四

我見過一個生疏的死者，
我從他的面上領悟了死亡，
像在他鄉的村莊風雨初過，
我來到時只剩下一片月光！
月光顫動着在那兒敍說
過去風雨裏一切的景像。
你的死覺是這般的靜默
靜默得像我遠方的故鄉。

——一九三七

73

附註

〔十四行第三首〕有加利樹。

〔十四行第四首〕鼠麴草在西方一名貴白草。

〔十四行第十首〕末四行用里爾克在歐戰期內與友人論羅丹逝世信中語意。

十四行集

馮至 著

文化生活出版社（上海）一九四九年一月再版。
原書三十二開。

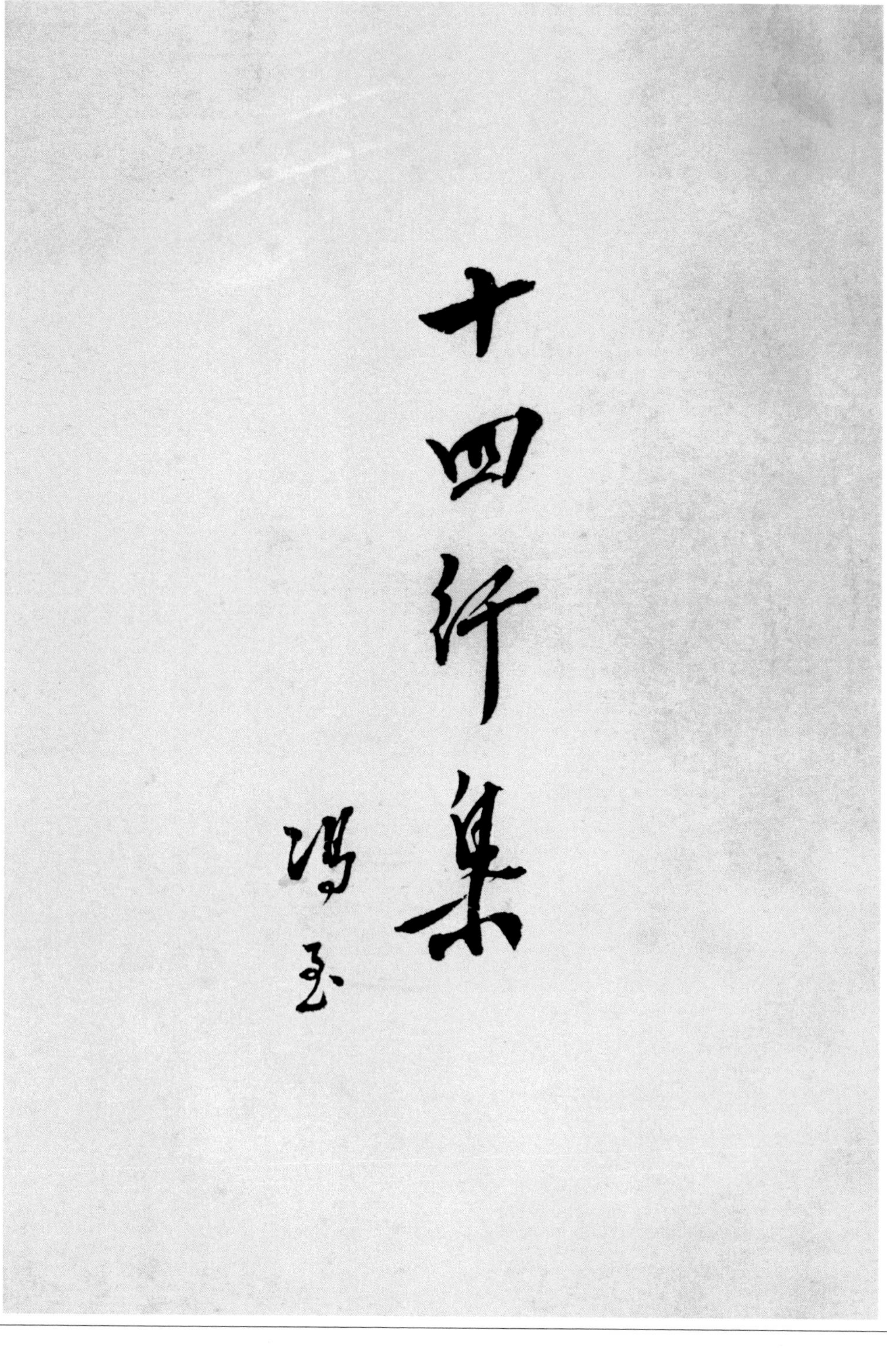

十四行集

馮至

十四行集

馮至

序

一九四一年我住在昆明附近的一座山裏，每星期要進城兩次，十五里的路程，走去走回，是很好的散步。一人在山徑上田埂間，總不免要看，要想，看的好像比往日看的格外多，想的也比往日想的格外豐富。那時，我早已不慣於寫詩了，——從一九三一到一九四零十年內我寫的詩總計也不過十幾首，——但是有一次，在一個冬天的下午，望着幾架銀色的飛機在藍得像結晶體一般的天空裏飛翔，想到古人的鵬鳥夢，我就隨着脚步的節奏，信口說出一首有韻的詩，回家寫在紙上，正巧是一首變體的十四行。這是集中的第八首，是最早也是最生澀的一首，因爲我是那樣久不曾寫詩了。

這開端是偶然的，但是自己的內心裏漸漸感到一個責任：有些體驗，永久在我的腦裏再現；有些人物，我不斷地從他們那裏吸收養分；有些自然現象，牠們給我許多啓示：我爲什麼不給他們留下一些感謝的紀念呢？由於這個念頭，於是從歷史上不朽的精神到無名的村童農婦，從遠方的千古的名城到山坡上的飛蟲小草，從個人的一小段生活到許多人共同的遭遇，凡是和我的生命發生深切的關連的，對於每件事物我都寫出一首詩：有時一天寫出兩三首，有時寫出半首便擱淺了，過了一個長久的時間才能續成。這樣一共寫了二十七首。到秋天生了一場大病，病後孑然一身，好像一無所有，但等到體力漸漸恢復，取出這二十七首詩重新整理謄錄時，精神上感到一種輕鬆，因爲我完成了一個責任。

至於我採用了十四行體，並沒有想把這個形式移植到中國來的用意：純然是爲了自己的方便。我用這形式，只因爲這形式幫助了我，正如李廣田先生在論十四行集時所說的，『由於牠的層層上升而又下降，漸漸集中而又解開，以及牠的錯綜而又整齊，牠的韻法之穿來而又插去，』牠正宜於表現我所要表現的事物，牠不曾限制了我活動的思想，只是把我的思想接過來，給一個適當的安排。

如今距離我起始寫十四行時已經整整七年，北平的天空和昆明的是同樣藍得像結晶體一般，天空裏仍然時常看見銀色的飛機飛過，但對着這景象再也不能想到古人的鵬鳥夢，而能想到的却是地上無邊的苦難。可是看見幾個降生不久的小狗，仍然要情不自禁地說出一句：

「你們在深夜吠出光明。」

在紛雜而又不眞實的社會裏更要說出這迫切的要求：

「給我狹窄的心
一個大的宇宙！」

一本詩本來應該和一座雕刻或一幅畫一樣，除却牠本身外不需要其他的說明，所以這個集子於一九四二年在桂林明日社初版時，集前集後並沒有序或跋一類的文字，如今再版，我感到有略加說明的必要。所要說明的，就是上邊的這幾句話。

一九四八年二月五日北平

目次

十四行 二十七首

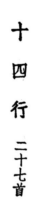

一九四一年寫於昆明

一

我們準備着深深地領受
那些意想不到的奇蹟，
在漫長的歲月裏忽然有
彗星的出現，狂風乍起：

我們的生命在這一瞬間，
彷彿在第一次的擁抱裏
過去的悲歡忽然在眼前
凝結成屹然不動的形體。

我們讚頌那些小昆蟲：
牠們經過了一次交媾
或是抵禦了一次危險，
便結束牠們美妙的一生。
我們整個的生命在承受
狂風乍起，彗星的出現。

4

二

什麼能從我們身上脫落，
我們都讓牠化作塵埃：
我們安排我們在這時代
像秋日的樹木，一棵棵

把樹葉和些過遲的花朵
都交給秋風，好舒開樹身
伸入嚴冬；我們安排我們
在自然裏，像蛻化的蟬蛾

把殘骸都丟在泥裏土裏；
我們把我們安排給那個
未來的死亡，像一段歌曲，
歌聲從音樂的身上脫落，
歸終剩下了音樂的身軀
化作一脈的青山默默。

三

你秋風裏蕭蕭的玉樹——
是一片音樂在我耳旁
築起一座嚴肅的廟堂，
讓我小心翼翼地走入；

又是插入晴空的高塔
在我的面前高高聳起，
有如一個聖者的身體，
昇華了全城市的喧嘩。

你無時不脫你的軀殼，
凋零裏只看着你生長；
在阡陌縱橫的田野上

我把你看成我的引導：
祝你永生，我願一步步
化身爲你根下的泥土。

8

四

我常常想到人的一生，
便不由得要向你祈禱。
你一叢白茸茸的小草
不曾孤負了一個名稱；
但你躲避着一切名稱，
過一個渺小的生活，
不孤負高貴和潔白，
默默地成就你的死生。

一切的形容，一切喧囂
到你身邊，有的就凋落，
有的化成了你的靜默：

這是你偉大的驕傲
却在你的否認裏完成。
我向你祈禱，爲了人生。

10

五

我永久不會忘記
西方的那座水城，
牠是個人世的象徵，
千百個寂寞的集體。

一個寂寞是一座島，
一座座都結成朋友。
當你向我拉一拉手，
便像一座水上的橋；

當你向我笑一笑，
便像是對面島上
忽然開了一扇樓窗。

等到了夜深靜悄，
只看見窗兒關閉，
橋上也斂了人跡。

六

我時常看見在原野裏
一個村童，或一個農婦
向着無語的晴空啼哭，
是爲了一個懲罰，可是
爲了一個玩具的毀棄？
是爲了丈夫的死亡，
可是爲了兒子的病創？
啼哭得那樣沒有停息，

像整個的生命都嵌在
一個框子裏，在框子外
沒有人生，也沒有世界。

我覺得他們好像從古來
就一任眼淚不住地流
爲了一個絕望的宇宙。

七

和暖的陽光內
我們來到郊外，
像不同的河水
融成一片大海。

有同樣的警醒
在我們的心頭，
是同樣的運命
在我們的肩頭。

共同有一個神
他爲我們担心：
等到危險過去，

那分歧的街衢
又把我們吸回，
海水分成河水。

八

是一個舊日的夢想，
眼前的人世太紛雜，
想依附着鵬鳥飛翔
去和甯靜的星辰談話。

千年的夢像個老人
期待着最好的兒孫——
如今有人飛向星辰，
却忘不了人世的紛紜。

他們常常爲了學習
怎樣運行，怎樣隕落，
好把星秩序排在人間，

便光一般投身空際。
如今那舊夢却化作
遠水荒山的隕石一片。

18

九

你長年在生死的中間生長，
一旦你囘到這墮落的城中，
聽着這市上的愚蠢的歌唱，
你會像是一個古代的英雄

在千百年後他忽然囘來，
從些變質的墮落的子孫
尋不出一些盛年的姿態，
他會出乎意外，感到眩昏。

你在戰場上，像不朽的英雄
在另一個世界永向蒼穹，
歸終成為一隻斷線的紙鳶：

但是這個命運你不要埋怨，
你超越了他們，他們已不能
維繫住你的向上，你的曠遠。

20

一〇

你的姓名，常常排列在
許多的名姓裏邊，並沒有
什麼兩樣，但是你却永久
暗自保持住自己的光彩；

我們只在黎明和黃昏
認識了你是長庚，是啓明，
到夜半你和一般的星星
也沒有區分：多少青年人

賴你寗靜的啓示才得到
正當的死生。如今你死了，
我們深深感到，你已不能
參加人類的將來的工作——
如果這個世界能夠復活，
歪扭的事能夠重新調整。

22

十一

在許多年前的一個黃昏
你爲幾個青年感到「一覺」；
你不知經驗過多少幻滅，
但是那「一覺」却永不消沉。

我永久懷着感謝的深情
望着你，爲了我們的時代：
牠被些愚蠢的人們毀壞，
可是牠的維護人却一生

被摒棄在這個世界以外——
你有幾回望出一綫光明，
轉過頭來又有烏雲遮蓋。

你走完了你艱險的行程，
艱苦中只有路旁的小草
曾經引出你希望的微笑。

一三

你在荒村裏忍受饑腸,
你常常想到死塡溝壑,
你却不斷地唱着哀歌
爲了人間壯美的淪亡:

戰場上有健兒的死傷,
天邊有明星的隕落,
萬匹馬隨着浮雲消沒……
你一生是他們的祭享。

你的貧窮在閃鑠發光
像一件聖者的爛衣裳，
就是一絲一縷在人間

也有無窮的神的力量。
一切冠蓋在牠的光前
只照出來可憐的形像。

26

一三

你生長在平凡的市民的家庭，
你爲過許多平凡的女子流淚，
在一代雄主的面前你也敬畏；
你八十年的歲月是那樣平靜

好像宇宙在那兒寂寞地運行，
但是不曾有一分一秒的停息，
隨時隨處都演化出新的生機，
不管風風雨雨，或是日朗天晴。

從沉重的病中換來新的健康，
從絕望的愛裏換來新的營養，
你知道飛蛾爲什麼投向火焰，

蛇爲什麼脫去舊皮才能生長；
萬物都在享用你的那句名言，
牠道破一切生的意義：『死和變。』

28

一四

你的熱情到處燃起火，
你把一束向日的黃花
燃着了，濃鬱的扁柏
燃着了，還有在烈日下

行走的人們，他們也是
向高處呼籲的火焰；
但是初春一棵枯寂的
小樹，一座監獄的小院，

和陰暗的房裏低着頭
剝馬鈴薯的人：他們都
像是永不消溶的冰塊。

這中間你却畫了弔橋，
畫了輕倩的船：你可要
把些不幸者迎接過來？

一五

看這一隊隊的馱馬
馱來了遠方的貨物，
水也會冲來一些泥沙
從些不知名的遠處，

風從千萬里外也會
掠來些他鄉的嘆息：
我們走過無數的山水，
隨時佔有，隨時又放棄，

髣髴鳥飛翔在空中，
牠隨時都管領太空，
隨時都感到一無所有。

什麼是我們的實在?
從遠方什麼也帶不來，
從面前什麼也帶不走。

一六

我們並立在高高的山巔
化身爲一望無邊的遠景，
化成面前的廣漠的平原，
化成平原上交錯的蹊徑。

哪條路，哪道水，沒有關連，
哪陣風，哪片雲，沒有呼應：
我們走過的城市，山川
都化成了我們的生命。

我們的生長，我們的憂愁
是某某山坡的一棵松樹，
是某某城上的一片濃霧；

我們隨着風吹，隨着水流，
化成平原上交錯的蹊徑，
化成蹊徑上行人的生命。

一七

你說，你最愛看這原野裏
一條條充滿生命的小路，
是多少無名行人的步履
踏出來這些活潑的道路。

在我們心靈的原野裏
也有一條條宛轉的小路，
但曾經在路上走過的
行人多半已不知去處：

寂寞的兒童，白髮的夫婦，
還有些年紀青青的男女，
還有死去的朋友，他們都
給我們踏出來這些道路；
我們紀念着他們的步履
不要荒蕪了這幾條小路。

一八

我們常常度過一個親密的夜
在一間生疏的房裏，牠白晝時
是什麼模樣，我們都無從認識，
更不必說牠的過去未來。原野
一望無邊地在我們窗外展開，
我們只依稀地記得在黃昏時
來的道路，便算是對牠的認識，
明天走後，我們也不再回來。

閉上眼吧！讓那些親密的夜
和生疏的地方織在我們心裏：
我們的生命像那窗外的原野，

我們在朦朧的原野上認出來
一棵樹，一閃湖光；牠一望無際
藏着忘却的過去，隱約的將來。

一九

我們招一招手，隨着別離
我們的世界便分成兩個，
身邊感到冷，眼前忽然遼闊，
像剛剛降生的兩個嬰兒。

啊，一次別離，一次降生，
我們担負着工作的辛苦，
把冷的變成暖，生的變成熟，
各自把個人的世界耘耕；

為了再見好像初次相逢、
懷着感謝的情懷想過去
像初晤面時忽然感到前生。

一生裏有幾回春幾回冬，
我們只感受時序的輪替，
感受不到人間規定的年齡。

二〇

有多少面容，有多少語聲
在我們夢裏是這般真切，
不管是親密的還是陌生：
是我自己的生命的分裂，

可是融合了許多的生命，
在融合後開了花，結了果？
誰能把自己的生命把定
對着這茫茫如水的夜色，

誰能讓他的語聲和面容
只在些親密的夢裏縈迴？
我們不知已經有多少回

被映在一個遼遠的天空，
給船夫或沙漠裏的行人
添了些新鮮的夢的養分。

二

我們聽着狂風裏的暴雨
我們在燈光下這樣孤單，
我們在這小小的茅屋裏
就是和我們用具的中間

也生了千里萬里的距離：
銅罏在向往深山的鑛苗
瓷壺在向往江邊的陶泥，
牠們都像風雨中的飛鳥

各自東西。我們緊緊抱住，
好像自身也都不能自主。
狂風把一切都吹入高空

暴雨把一切又淋入泥土，
只剩下這點微弱的燈紅
在證實我們生命的暫住。

二三

深夜又是深山
聽着夜雨沉沉。
十里外的山村
念里外的市廛

祂們可還存在？
十年前的山川
念年前的夢幻
都在雨裏沉埋。

四圍這樣狹窄
好像回到母胎；
神，我深夜祈求

像個古代的人：
『給我狹窄的心
一個大的宇宙！』

二三

接連落了半月的雨，
你們自從降生以來
就只知道潮溼陰鬱，
一天雨雲忽然散開

太陽光照滿了牆壁，
我看見你們的母親
把你們銜到陽光裏，
讓你們用你們全身

第一次領受光和暖，
等到太陽落後牠又
銜你們回去。你們沒有

記憶，但這一幕經驗
會融入將來的吠聲，
你們在深夜吠出光明。

二四

這裏幾千年前
處處好像已經
有我們的生命；
我們未降生前

一個歌聲已經
從變幻的天空，
從綠草和青松
唱我們的運命。

我們憂患重重，
這裏怎麼竟會
聽到這樣歌聲？

看那小的飛蟲，
在牠的飛翔內
時時都是永生。

二五

案頭擺設着用具
架上陳列着書籍，
終日在些靜物裏
我們不住地思慮；

言語裏沒有歌聲
舉動裏沒有舞蹈，
空空問窗外飛鳥
爲什麼振翼凌空。

只有睡着的身體
夜靜時起了韻律，
空氣在身內遊戲

海鹽在血裏遊戲——
夢裏可能聽得到
天和海向我們呼叫？

二六

我們天天走着一條熟路
回到我們居住的地方；
但是在這林裏面還隱藏
許多小路，又深邃，又生疏。

走一條生的，便有些心慌，
怕越走越遠，走入迷途，
但不知不覺從樹疏處
忽然望見我們住的地方

像座新的島嶼呈在天邊。
我們的身邊有多少事物
向我們要求新的發現：

不要覺得一切都已熟悉，
到死時撫摸自己的髮膚
生了疑問：這是誰的身體？

二七

從一片氾濫無形的水裏
取水人取來橢圓的一瓶，
這點水就得到一個定形；
看，在秋風裏飄揚的風旗

牠把住些把不住的事體，
讓遠方的光，遠方的黑夜
和些遠方的草木的榮謝，
還有個奔向無窮的心意，

都保留一些在這面旗上。
我們空空聽過一夜風聲，
空看了一天的草黃葉紅，
向何處安排我們的思想？
但願這些詩像一面風旗
把住一些把不住的事體。

附錄

雜詩四首

等待

在我們未生之前，
天上的星，海裏的水
都抱着千年萬里的心
在那兒等待你。

如今一個豐饒的世界
在我的面前，
天上的星，海裏的水
把牠們等待你的心

整整地給了我。

歧路

牠們一條條地在面前
伸出去，同時在準備着
承受我們的脚步；
但我們不是流水，
只能先是猶疑着，
隨後又是勇敢地
走上了一條，把些
其餘的都丟在身後——
看那高高的樹木，

曾經有多少嫩綠的
枝條，被風雨，被斤斧
折斷了，如今都早已
不知去處。

　　朋友們，
我們越是向前走，
我們便有更多的
不得不割捨的道路。
當我們感到不可能，
把那些折斷的枝條
聚起來，堆集成一座
望得見的墳墓，

我們
全生命無處不感到
永久的割裂的痛苦。

我們的時代

將來許多城都變了形體，
許多河流也改了河道，
人人爲了自己的事物匆忙，
早已忘記了我們，萬一
想到我們，便異口同音地
說一聲：『那個艱苦的時代。』
這無異遮蓋起我們種種的
愁苦和憂患，只給我們
披上一件聖潔的衣裳：

我們從將來的人們的口裏
領來了這件衣裳，也正如
古人從我們口裏領去了——
我們現在不是還常常
提起嗎，從前有過一個
洪水的時代。

一個海邊的
熱鬧的市鎮，在前幾天
還擠滿了人，市集散後
滿街上還撒遍了魚鱗，
但現在忽然這樣寂靜了，
街上遇不見一個行人，

家家的房屋都空空鎖起，
好像是剛剛發掘出來的
一座古城：『是一個結束，
是一個開始，』正這樣想時，
對面出現了一隊兵士，
他們把這個市鎮接過來，
像一個盛得滿滿的水盆，
像一塊散開便收不起來的
水銀，他們無時不在準備
抵禦敵人的最初的來襲。
一樣的面容，一樣的姿態，
化成一個身體。如今六年了，

66

那市鎮化成無數的市鎮，
無論我想到地球上那一塊
地方，便感到那市鎮的寂靜，
同時在我面前也走來了
那一隊兵士。

一座偏僻的
小城，承受了從未有過的
繁榮，從大都市裏來的
人們給牠帶來了鼓舞，
也帶來了驚慌和恐怖。
在一個熙熙攘攘的清晨，
歡欣正浮在人人的面上，

忽然在天空響起沉重的
機聲，等到人們感到時，
四五個死者已經橫臥
在街心，他們一樣的面容，
一樣的姿態，化成一個身體。
驚慌和恐怖從一切隱祕的
角落裏湧出，立即湮沒了
這座城市，繁榮也隨着
商店裏陳列的物品收斂。
六年了，這小城化成無數的
小城，只要我想到地球上
任何一個城市，我就髣髴

看見在牠的街頭橫臥着
那幾個死者。

如今六年了，
我們經驗了重重的憂患，
無限的愁苦，還有一些人
表露出從來不曾有過的
醜惡的面目，讓我們的心
這樣狹窄；但我們一想到
那一隊兵士，那幾個死者，
他們便聖水似地冲洗着
我們的心，讓我們感到
無邊的曠遠。在這一次的

洪水裏我們甯肯沉淪，
却不願意羨慕有些個
坐在方舟裏的人，我們
不願讓什麼阻住了我們的
視線，不要讓什麼營養着
我們的抱怨。有多少生命，
多少前代的遺產，牠們都
像樹葉一般，秋風來了
便凋落，並沒有一聲嘆息。
我們珍惜這聖潔的衣裳，
將來有一天，把牠脫下來
摺好，和一個兵士一樣，

70

正直地經過許多戰陣，
最後把他的軍衣脫下，
這時內心裏感到了饑餓——
向着眼前的休息，向着
過去的艱苦，向着遠遠的
崇高的山峯。

我們到那時
擁抱住我們的朋友，就是向
懺悔的敵人我們也可以
伸出手來，微笑着向他們說：
『我們曾經共同分擔了
一個共同的人類的運命。』

我們也許會共同歡迎着
幾千萬兵士健壯的歸來，
共同埋葬了幾千萬死者，
我們却不願意聽見幾個
坐在方舟裏的人們在說：
『我們延續了人類的文明。』

——一九四三年冬

招魂

謹呈於「一二·一」死難者的靈前

『死者，你們什麼時候囘來？』
我們從來沒有離開這裏。
『死者，你們怎麼走不出來？』
我們在這裏，你們不要悲哀，
我們在這裏，你們抬起頭來——

哪一個愛正義者的心上沒有我們？

哪一個愛自由者的腦裏忘却我們?
哪一個愛光明者的眼前看不見我們?

你們不要呼喚我們回來,
我們從來沒有離開你們,
咱們合在一起呼喚罷——

『正義,快快地回來!
自由,快快地回來!
光明,快快地回來!』

——一九四五

附註

〔十四行第三首〕有加利樹（Eucalyptus globulus）。

〔十四行第四首〕鼠麴草在歐洲許多國都稱作Edelweiss，這是一個德國字，可譯爲貴白草。

〔十四行第五首〕威尼市。

〔十四行第七首〕空襲警報時昆明的市民都躲到郊外。

〔十四行第九首〕給一個在前綫作戰經年的友人。

〔十四行第十首〕寫於三月五日，這天是蔡元培先生逝世週年紀念日。末四行用里爾克（Rilke）在歐戰期內於一九一七年十一月十九日與某夫人論羅丹（Rodin）及凡爾哈侖（Verhaeren）逝世信中語意。信裏這樣說：『如果這可怕

i

的烟霧（戰爭）消散了，他們再也不在人間，並且不能幫助那些將要整頓和扶植這個世界的人們。』

〔十四行第十一首〕魯迅的野草裏有一篇一覺。

〔十四行第十二首〕杜甫。

〔十四行第十三首〕歌德。

〔十四行第十四首〕畫家梵訶（van Gogh）。

〔十四行第二十二首末二行〕記得古蘭經裏有這樣一句話。

〔十四行第二十四首〕幾個初生的小狗。

〔雜詩〕明日社版中有等待，歌，給秋心數首。現在把歌和給秋心刪去，添上歧路，我們的時代，招魂三首。

ii

十四行集

著作人 馮至

發行人 吳文林

發行所 文化生活出版社
上海鉅鹿路一弄八號
重慶民國路一四五號

初版 中華民國卅八年一月

基本定價 金圓四角五分

文化生活出版社

水星叢書：十四行集